Lapin grognon va à l'école

Texte de Justine Korman
Illustrations de Lucinda McQueen
Traduit de l'anglais par Louise Binette

Pour Patsy Jensen, une éditrice jamais grognon.
J.K.

Pour Abby Guitar, avec toute mon affection.
Tante Lucy

Traduction : **Louise Binette**

Imprimé au Canada

Dépôts légaux : 3e trimestre 2002
Bibliothèque nationale du Québec
Bibliothèque nationale du Canada

LES ÉDITIONS HÉRITAGE INC.
300, rue Arran
Saint-Lambert (Québec) J4R 1K5
Téléphone : (514) 875-0327
Télécopieur : (450) 672-5448
Courriel : info@editionsheritage.com

Lapin grognon se réveille par un magnifique matin de septembre. Des feuilles orangées et or tourbillonnent dans la brise fraîche. Le ciel est d'un bleu éclatant.

Pourtant, Lapin grognon est maussade. En fait, il est encore plus grognon que d'habitude, car c'est aujourd'hui le premier jour d'école.

Cette année encore, Lapin grognon aidera madame Pépin, l'enseignante de maternelle, à l'école des lapins de Pâques. C'est là que les lapereaux apprennent à devenir de bons lapins de Pâques.

Les nouveaux élèves sont toujours très excités. Mais Lapin grognon, lui, voit l'école comme une chose banale et ennuyeuse.

Les lapereaux se rassemblent toujours autour du grand arbre pendant que le chef des lapins, maître Lièvre, répète avec eux le serment des lapins de Pâques :

Des gâteries pour grands et petits
De l'amour pour tout le monde aussi !
Le sourire du matin au soir
Voilà qui est notre devoir !

Impatients, effrayés ou joyeux, les lapereaux sautillent ensuite jusqu'à leur classe. Madame Pépin commence toujours la journée en décorant des œufs. Chaque année, elle enseigne les mêmes motifs : des lignes droites et des fleurs, pas autre chose ! Puis, c'est l'heure de faire gonfler la pâte à guimauve et de tresser des paniers.

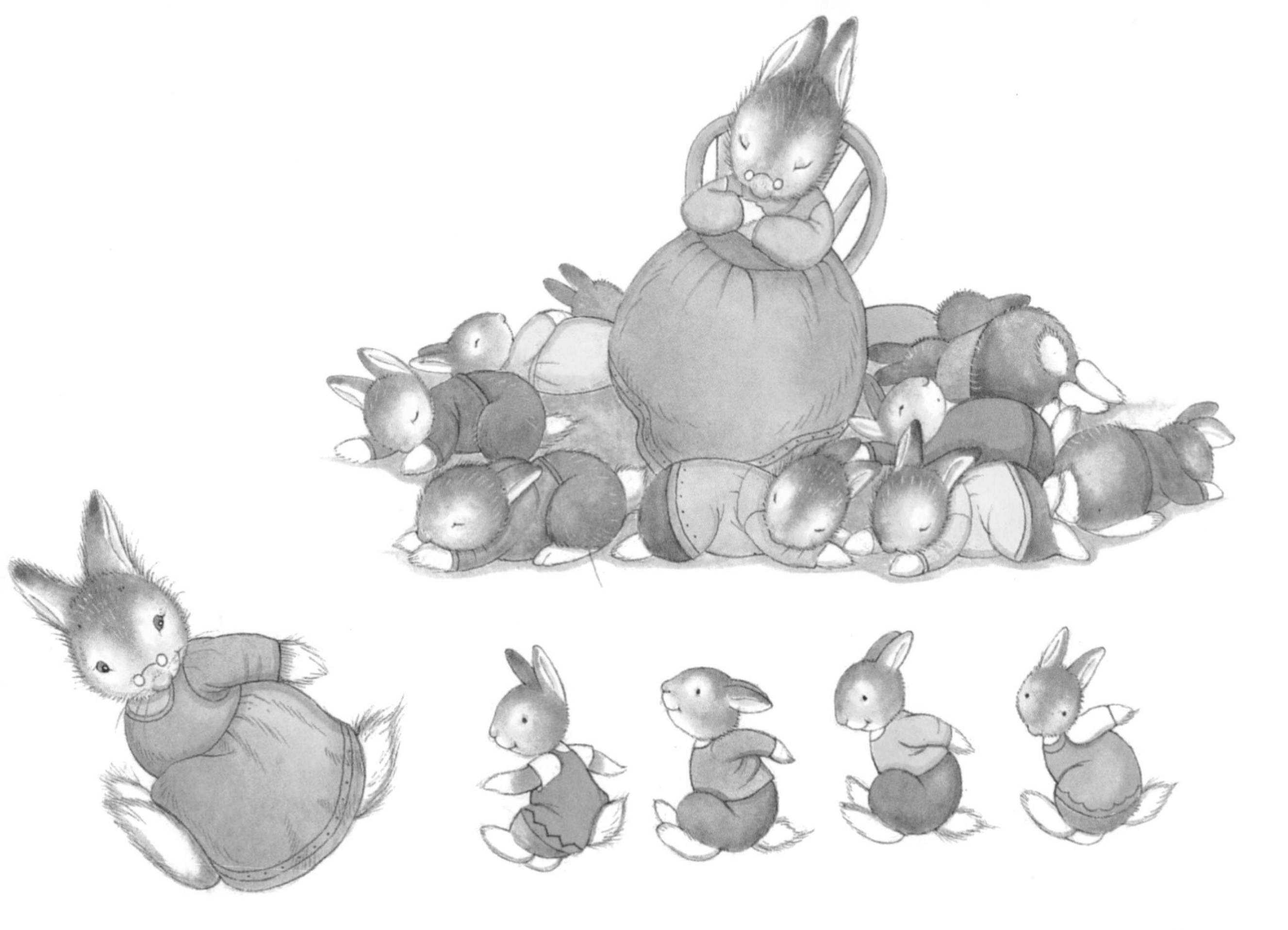

La collation est suivie de la sieste, des exercices de saut, de l'entraînement à la brouette et, enfin, de la chasse aux œufs.

Lapin grognon soupire. Il est temps de partir. En fait, les premiers élèves se rassemblent déjà autour du grand arbre tandis que Lapin grognon avance d'un pas traînant sur le chemin de l'école. Ses pauvres pattes sont très fatiguées.

Je n'arriverai jamais à faire ces ennuyeux exercices de saut! se dit-il tristement.

Lapin grognon rejoint les autres juste au moment où ils finissent de prononcer le serment. Il porte la patte à son cœur et marmonne : « Le sourire du matin au soir, et blablabla et blablabla. »

Soudain, Lapin grognon s'aperçoit que maître Lièvre le regarde fixement.

« Désolé pour le retard », commence Lapin grognon.

Mais maître Lièvre lui dit : « On verra ça plus tard. Madame Pépin est malade. Tu te débrouilleras seul en classe aujourd'hui. »

Les oreilles de Lapin grognon se dressent. « Quoi ? Ce n'est pas juste ! » gémit-il.

« Dans ce cas, je demanderai à quelqu'un d'autre », dit maître Lièvre.

Lapin grognon secoue la tête. Il a eu une idée. « Ça ira. Je m'occupe de tout. » Et il s'éloigne en bondissant avant que maître Lièvre ne se demande pourquoi il semble soudain si content.

Lapin grognon gambade jusqu'à la classe de maternelle. *Aujourd'hui, je ferai les choses à ma façon!* pense-t-il gaiement.

Et c'est exactement ce qu'il fait! Il peint d'abord l'œuf le plus farfelu qu'on ait jamais vu.

Ensuite, il dit aux lapereaux: « Peignez vos œufs comme bon vous semble. Faites-les aussi beaux que possible. »

Les lapereaux ne se contentent pas de dessiner des lignes et des fleurs. Ils peignent des œufs parsemés d'étoiles, d'autres avec des arcs-en-ciel ou des taches de léopard. Il y en a même un pareil à une citrouille !

Lapin grognon ne donne pas de modèles aux lapereaux pour les paniers. Il leur remet seulement de la paille et dit : « Tressez vos paniers comme vous le voulez. C'est vous qui décidez des formes et des couleurs. Faites de votre mieux ! »

Au moment de gonfler les poussins à la guimauve, Lapin grognon ne prévient pas les lapereaux de ne pas trop souffler. Il décide le les laisser découvrir par eux-mêmes ce qui arrivera.

PFFF, PFFF... Les lapereaux gonflent leurs poussins...

Mais un lapin nommé Léo souffle un peu trop fort.

POUF ! La guimauve vole dans toutes les directions !

«Faisons tous comme lui!» s'écrient les autres lapereaux d'un ton joyeux.

«Très bien, dit Lapin grognon. Voyons si vous pouvez dire à quel moment précis le poussin va exploser. Ainsi, vous apprendrez quand il faut vous arrêter.»

Quelques minutes plus tard, Lapin grognon réunit les lapereaux tout collants de guimauve. «Vous savez tous faire une ronde, dit-il. Essayez maintenant de sauter tout en tournant.»

«C'est difficile!» dit une élève appelée Lili.
«Non, c'est amusant!» s'écrie son amie Rose.

Une fois la ronde terminée, Lapin grognon dit: « Un lapin de Pâques doit savoir pousser une brouette remplie de friandises! Si on faisait une course pour s'entraîner? »

Les lapereaux sont enchantés de cette idée! Bientôt, ils courent partout dans la classe en riant de bon cœur.

C'est à cet instant que maître Lièvre arrive. « Mais qu'est-ce que c'est que tout ce bruit ? » demande-t-il.

Tous les lapereaux se taisent. Les oreilles de Lapin grognon retombent mollement et son cœur se serre. « Euh, je... » bredouille-t-il.

«Nous faisions une course de brouettes!» s'écrie Rose.

En voyant l'expression fâchée de maître Lièvre, Lapin grognon baisse les yeux et fixe ses pattes fatiguées. Il aurait mieux fait de rester au lit ce matin.

Maître Lièvre aperçoit les éclaboussures de guimauve un peu partout. «Qu'est-ce qui s'est passé?»

Lapin grognon ne sait que répondre. «Je... nous...»

«On a tellement gonflé nos poussins qu'ils ont explosé! dit Léo. POUF!» fait-il en gonflant ses joues duveteuses.

Lapin grognon gémit. Décidément, cette journée va de mal en pis.

Maître Lièvre aperçoit alors les œufs qui sèchent sur le rebord de la fenêtre. « Ça ne ressemble pas du tout aux motifs habituels ! » dit-il.

« Lapin grognon nous a permis de peindre ce qu'on voulait, dit Lili. C'était génial ! »

« Je vois », dit maître Lièvre. Il examine les œufs. « Certains sont fort jolis. »

Lapin grognon dresse les oreilles. A-t-il bien entendu ?

« Les traditions, c'est bien. Mais les nouvelles idées sont toujours bienvenues, dit maître Lièvre. Une course de brouettes peut aider les lapereaux à devenir plus adroits, en plus de les amuser. Et peut-être que de laisser exploser quelques guimauves est la meilleure façon de leur apprendre quand il faut arrêter de souffler », ajoute-t-il.

Lapin grognon reste bouche bée. Maître Lièvre lui tapote le dos. « Tu feras un excellent professeur un jour. Mais à l'avenir, j'aimerais que tu me parles de tes idées d'abord. »

Soulagé, Lapin grognon fait signe que oui. Il ne peut pas croire qu'il va s'en tirer sans se faire gronder.

« Bien sûr, il va falloir que tu nettoies ces dégâts », dit maître Lièvre.

Lapin grognon est découragé. Ça lui prendra tout l'après-midi pour faire briller la classe !

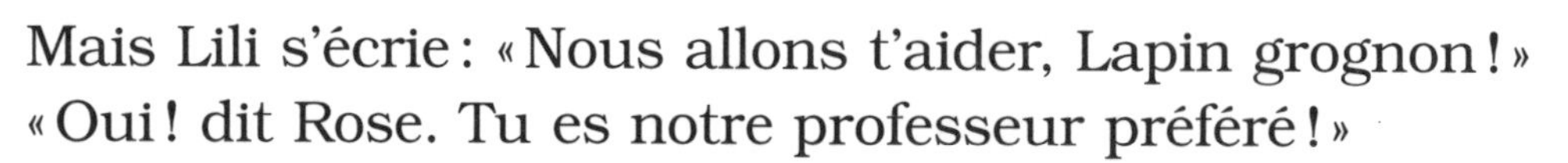

Mais Lili s'écrie : « Nous allons t'aider, Lapin grognon ! »
« Oui ! dit Rose. Tu es notre professeur préféré ! »
« Avec toi, même nettoyer sera amusant ! » ajoute Léo.
Et, à la grande surprise de Lapin grognon, Léo a raison.

Lapin grognon rentre chez lui en gambadant. Il est si heureux qu'il en oublie ses pauvres pattes fatiguées !

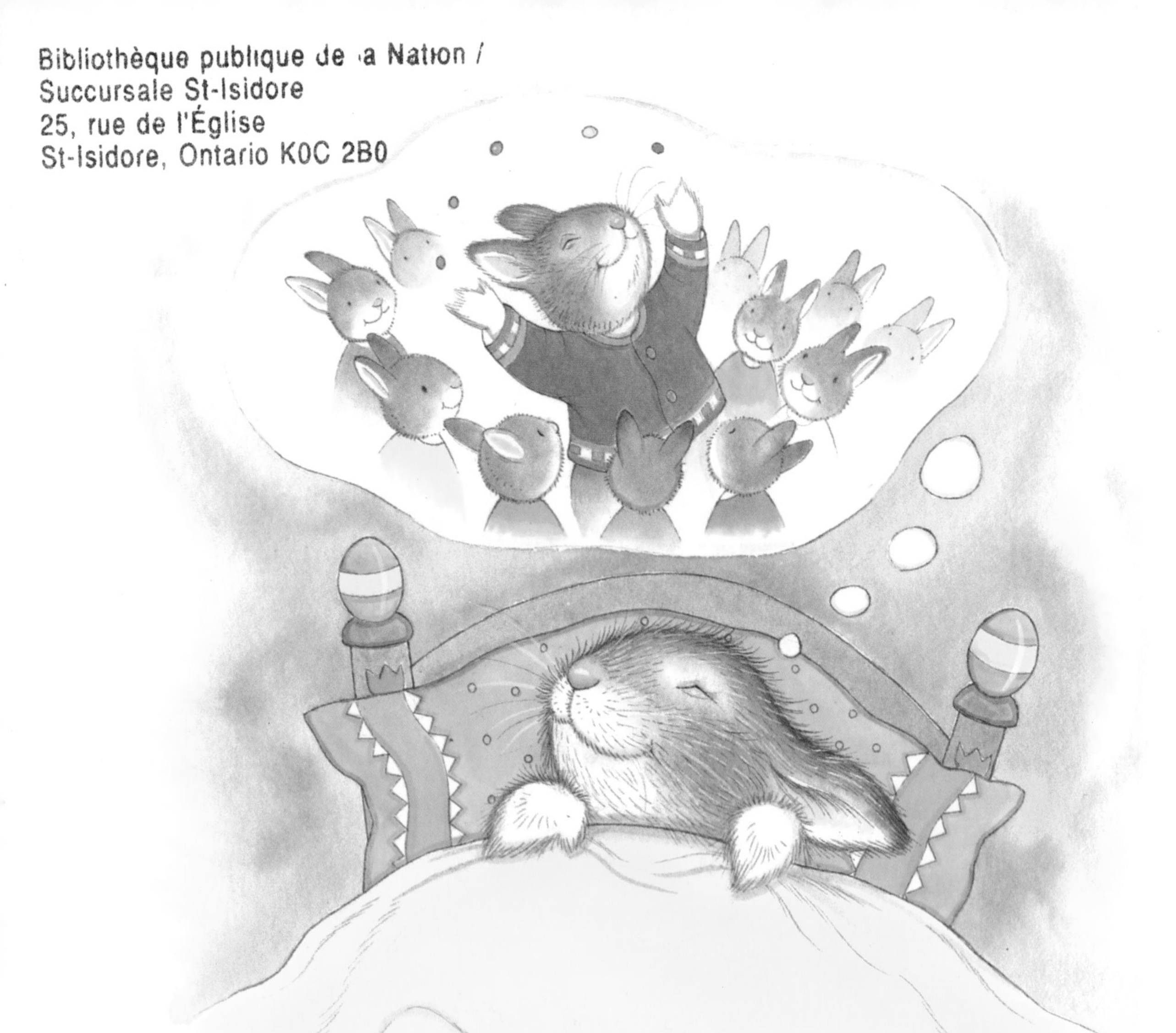

Une fois dans son terrier, Lapin grognon se dit : « Demain, je demanderai à maître Lièvre si l'on peut jongler avec des bonbons ! »

Il a bien hâte de revoir les lapereaux. En fait, depuis ce jour, Lapin grognon est toujours content d'aller à l'école.